小记分员亨利

【美】达芙妮·斯金纳◎著
【美】佩奇·伊斯特伯恩·欧鲁克◎绘
范晓星◎译

天津出版传媒集团

新蕾出版社

图书在版编目（CIP）数据

小记分员亨利/(美)斯金纳(Skinner,D.) 著；
(美)欧鲁克(O'Rourke,P.E.)绘；范晓星译. -- 天
津：新蕾出版社，2016.5(2024.12 重印)
(数学帮帮忙·互动版)
书名原文：Henry Keeps Score
ISBN 978-7-5307-6385-8

Ⅰ.①小… Ⅱ.①斯… ②欧… ③范… Ⅲ.①数学–
儿童读物 Ⅳ.①O1–49

中国版本图书馆 CIP 数据核字(2016)第 056615 号

出版发行：天津出版传媒集团
　　　　　新蕾出版社
http://www.newbuds.com.cn
地　　址：天津市和平区西康路 35 号(300051)
出 版 人：马玉秀
电　　话：总编办(022)23332422
　　　　　发行部(022)23332679　23332351
传　　真：(022)23332422
经　　销：全国新华书店
印　　刷：天津新华印务有限公司
开　　本：787mm×1092mm　1/16
印　　张：3
版　　次：2016 年 5 月第 1 版　2024 年 12 月第 20 次印刷
定　　价：12.00 元

无处不在的数学

资深编辑　卢　江

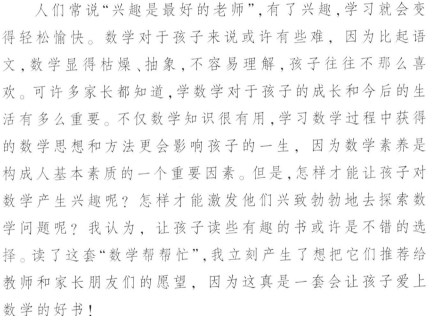

　　人们常说"兴趣是最好的老师",有了兴趣,学习就会变得轻松愉快。数学对于孩子来说或许有些难,因为比起语文,数学显得枯燥、抽象,不容易理解,孩子往往不那么喜欢。可许多家长都知道,学数学对于孩子的成长和今后的生活有多么重要。不仅数学知识很有用,学习数学过程中获得的数学思想和方法更会影响孩子的一生,因为数学素养是构成人基本素质的一个重要因素。但是,怎样才能让孩子对数学产生兴趣呢?怎样才能激发他们兴致勃勃地去探索数学问题呢?我认为,让孩子读些有趣的书或许是不错的选择。读了这套"数学帮帮忙",我立刻产生了想把它们推荐给教师和家长朋友们的愿望,因为这真是一套会让孩子爱上数学的好书!

　　这套有趣的图书从美国引进,原出版者是美国资深教育专家。每本书讲述一个孩子们生活中的故事,由故事中出现的问题自然地引入一个数学知识,然后通过运用数学知识解决问题。比如,从帮助外婆整理散落的纽扣引出分类,从为小狗记录藏骨头的地点引出空间方位等等。故事素材全部来源于孩子们的真实生活，不是童话，不是幻想，而是鲜活的生活实例。正是这些发生在孩子身边的故事，让孩子们懂得，数学无处不在并且非常有用；这些鲜活的实例也使得抽象的概念更易于理解，更容易激发孩子学习数学的兴趣，让他们逐渐爱上数学。这样的教育思想和方法与我国近年来提倡的数学教育理念是十分吻合的！

这是一套适合5~8岁孩子阅读的书，书中的有趣情节和生动的插画可以将抽象的数学问题直观化、形象化，为孩子的思维活动提供具体形象的支持。如果亲子共读的话，家长可以带领孩子推测情节的发展，探讨解决难题的办法，让孩子在愉悦的氛围中学到知识和方法。

值得教师和家长朋友们注意的是，在每本书的后面，出版者还加入了"互动课堂"及"互动练习"，一方面通过一些精心设计的活动让孩子巩固新学到的数学知识，进一步体会知识的含义和实际应用；另一方面帮助家长指导孩子阅读，体会故事中数学之外的道理，逐步提升孩子的阅读理解能力。

我相信孩子读过这套书后一定会明白，原来，数学不是烦恼，不是包袱，数学真能帮大忙！

"海莉！亨利！"妈妈大声喊，"太阳晒屁股啦！该起床啦！"

海莉在被窝里翻了个身,打了个哈欠,说:"妈妈,让我再睡五分钟嘛,行不行?"

"好吧,小懒虫。"妈妈同意了。

亨利也醒了，眼睛睁得大大的。"要是姐姐能多睡五分钟，那我也要多睡五分钟。"说完，他往被窝里又钻了钻。

"不可以超过五分钟哟，不然就来不及吃早饭了。"妈妈提醒姐弟俩。

海莉 5 亨利 5

5

　　五分钟过去了，海莉和亨利都闻到了香香的
味道。姐弟俩飞奔下楼。"真香!"海莉欢呼道，"原
来是小煎饼啊!"她一下拿了四块。

　　"妈妈!"亨利不乐意了，"海莉拿了四块煎饼!
我只有三块!海莉的煎饼比我的多!"

"三块煎饼还不够你吃呀？"妈妈笑着说。

"要是姐姐拿四块，我也得拿四块！"亨利喊。

于是，妈妈又给了他一块煎饼。

"嗯！"亨利满意地点点头，他的嘴巴塞得满满的，都说不出话了。

海莉 4 亨利 4

放学了，海莉给小狗喂食，亨利照顾猫咪。

海莉清理鸟笼，亨利去倒垃圾。

海莉把自己的玩具收拾好，亨利把所有脏袜子丢进洗衣筐。

"姐姐做了三件家务，我也做了三件家务。"亨利心里盘算着，"不多不少！"

海莉 3 亨利 3

姐弟俩做完了家务，妈妈问他们想不想吃点心。

"我要一杯牛奶和三块饼干，谢谢妈妈！"海莉说。

"我要一杯牛奶和十块饼干，谢谢妈妈！"亨利说。

"十块饼干！"海莉大吃一惊，"太多了吧！"
"你可以吃三块。"妈妈说，"跟海莉一样。"
"哦，那好吧。"亨利说。

海莉 3 亨利 3

这天晚上，海莉邀请好朋友们来家里开睡衣派对。朱迪、芬妮、梅根和温迪都住在海莉家啦！

她们玩得特别开心！

"我也要开睡衣派对。"亨利说。

"好哇！"妈妈问，"你想请谁呢？"

"欧文、卢克、泰德……"亨利掰着手指头数起来，"还有……还有……雷伊舅舅！"

"雷伊舅舅？"妈妈哈哈大笑，"他来参加你们小孩子的聚会，是不是有点儿老？"

"姐姐都请了四个人。"亨利不服气地说，
"她请四个人，我也要请四个人！"

"好吧，亨利。"妈妈温柔地回答。

海莉 4 亨利 4

欧文、卢克、泰德和雷伊舅舅都来参加亨利的派对啦!

他们也玩得特别开心！

第二天,亨利一家去购物。第一站是书店。

海莉买了一本书。

亨利也买了一本书。

海莉 1 亨利 1

帽子区

然后,他们去了百货商店。海莉买了一件毛衣、一
条裙子和一顶帽子。

亨利买了一件毛衣和一件衬衫。

"我也要一顶帽子。"他说。

"你已经有帽子了。"爸爸说。

"不需要再买一顶帽子了。"妈妈说。

"海莉都买了三件东西。"亨利说,"她有三件,我也要有三件!"

"今天不可以这样哟!"爸爸妈妈异口同声地回答。

"哼!"亨利生气地说,"不公平!"

海莉 3 亨利 2

晚上，海莉给朋友打电话。

"我也想打电话。"亨利说。

"你想打给谁？"妈妈问。

亨利想了想，说："嗯，我要给圣诞老人打电话！"

"亨利，圣诞老人这会儿还在休假呢。"妈妈说，
"等到十二月的时候咱们给他写信。"

"那我要给外婆打电话!"亨利说。

"这是个好主意。"妈妈说完便帮亨利拨通了电话。

亨利对外婆说:"姐姐给同学打电话呢,我也要打。她打几通电话,我也打几通。"

"哈哈,你能打给我,我真是太高兴啦!"外婆告诉亨利。

海莉 1 亨利 1

又过了一天，姐弟俩去凯利医生那儿检查牙齿。

海莉在里面待了好长时间。

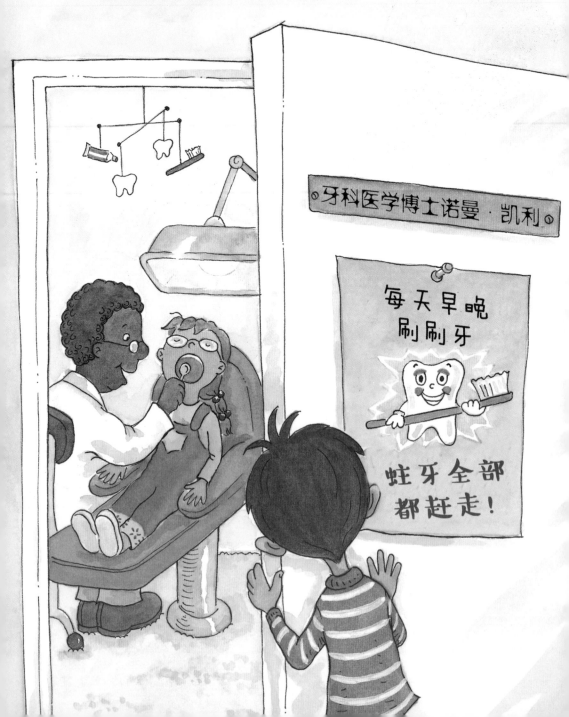

海莉出来了,她说:"我有一颗蛀牙。"
亨利大吃一惊。"蛀牙?"他说,"你有蛀牙啦?"
"是呀。"海莉说,"轮到你了。"

凯利医生仔细检查了亨利的每一颗牙齿。时间过得好慢！亨利的心里七上八下的。

终于,凯利医生拍拍亨利的肩膀说:"好小子!一颗蛀牙都没有!"

“我没有蛀牙！”亨利高兴地告诉妈妈和姐姐。

“你太幸运了！”海莉羡慕地说。

“那当然！”亨利得意地回答。

海莉 1 亨利 0

那天晚上，妈妈来跟亨利道晚安。她说："今天在牙医那儿，你很勇敢哟！"

"海莉有一颗蛀牙！"亨利说。

"怎么？你也想有蛀牙吗？"妈妈笑着问，"跟海莉一样？"

"才不呢！"亨利大声说，"不要！不要！不要！"

"逗你玩儿呢！"妈妈笑着亲了亲亨利，"晚安，孩子！"

　　接着，妈妈去给海莉道晚安。"你今天在牙医那儿很勇敢！"妈妈说。

　　"谢谢妈妈！"海莉回答。

　　妈妈也亲了亲海莉。

"妈妈,再亲我一下,好吗?"海莉央求道。

"亨利,你有意见吗?"妈妈提高嗓门儿问。

亨利一想到姐姐和她的蛀牙，就说："没意见，妈妈，你可以再亲她一下！"

妈妈又亲了海莉一下。

海莉 2 亨利 1

对 比 表

亨利有四朵花。

4 朵花

海莉比亨利少种一朵花。

3 朵花

欧文的花和亨利一样多。

4 朵花

雷伊舅舅的花比亨利多一朵。

5 朵花

朱迪没有花。

0 朵花

互动阅读

亲爱的家长朋友，请您和孩子一起完成下面这些内容，会有更大的收获哟！

提高阅读能力

- 阅读封面，包括书名、作者等信息。和孩子聊聊，在球类比赛时，"记分"是什么意思？请孩子预测一下，在故事里，亨利会如何"记分"呢？
- 亨利无论做什么事都喜欢跟姐姐海莉比。读完这个故事，让孩子说一说亨利都比了什么：赖床的时间、早餐煎饼的数量、做家务的数量、吃点心时饼干的数量、邀请客人的数量、买书和衣服的数量、打电话的次数、蛀牙的数目以及和妈妈亲吻的次数。
- 请孩子站在妈妈的角度想想看，妈妈做出了什么样的决定？你是否认同妈妈的做法？妈妈的做法对亨利有什么影响？

巩固数学概念

- 请利用第 32 页上的内容，复习以下概念：比……多一个，比……少一个，一样多。请孩子用这几个短语造句。
- 模拟在商店购物的场景，熟悉匹配和一一对应的概念。告诉孩子，亨利买的新衣服和海莉买的新衣服之间有什么关系：毛衣／毛衣,裙子 / 衬衫,帽子 / 没买帽子。亨利为什么还想要一件东西? 请孩子任意想象两组物品,然后用匹配的方法来做比较。

• 请看第 14 页。亨利一边数手指,一边思考邀请谁来家里开派对。数手指就是进行一一对应的过程(一根手指对应一件事物)。

• 跟孩子聊聊数的比较这个概念。姐弟俩各长了几颗蛀牙?各得到了妈妈的几个亲吻? 请孩子想想,亨利还可以比较什么?

生活中的数学

• 选择物品来玩"一样多"的游戏,比如蜡笔。把蜡笔分成两组,家长和孩子各拿一组。一人手里的蜡笔应该比另一个人手里的蜡笔多。再准备一些多余的蜡笔。请孩子增加或者减少自己手中的蜡笔,使之跟家长的蜡笔一样多。家长可以不断地变化自己手中蜡笔的数量,让它总是比孩子的蜡笔多一支或者少一支。之后再尝试新的变化,比如多 / 少两支蜡笔、三支蜡笔⋯⋯

• 请孩子在一个小时(或者一天)的时间里做个小记分员。做一些记分卡片。请家长从这本书里寻找游戏灵感,或者参考以下建议:拆信件的数量,盘子里食物的种类,收拾玩具的数量,玩游戏的次数,心爱东西的数量。游戏时,请设置以下三种情况:孩子和家长得分一样,孩子比家长多一分,孩子比家长少一分。

分别数一数小鸡和小鸭的数量，填在下方
表格中，再比一比哪种动物的数量多。

苹果和梨哪个更多？先分别数一数它们的数量，填在表格的对应位置。然后，比一比吧！

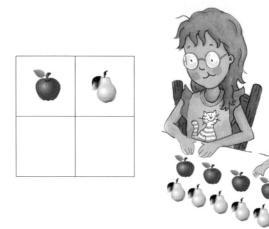

玩具熊和玩具恐龙一样多吗？先分别数一数它们的数量，填在表格的对应位置。然后，比一比吧！

找一找,图中哪些物品的数量和这张卡片上的数一样?

上图中的四个人手里各拿了几件物品？数一数，然后把数量填写在表格对应位置。谁手中的物品最多？

请你在下方的空格中画出同样多的五角星。

★	★	★		

请你在右栏画出树叶。树叶的数目比花朵的数目多2。

请你在下方的横线上画出桃子。桃子的数目比猴子的数目少1。

海莉套中了三个圈。亨利至少要套中几个才能获胜呢？请你把答案写在表格中吧！

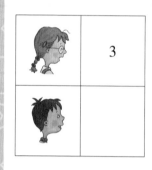

	3

亨利跳了四下，海莉比亨利多跳了两下。你知道海莉跳了几下吗？请把答案写在表格中吧！

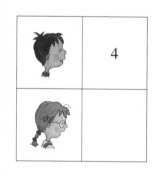

40

亨利一家在海滩度假，姐弟俩正在进行挖沙坑比赛。时间到！请你将比分记录下来吧！谁获胜了？

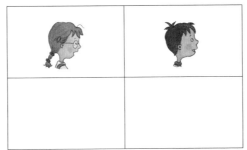

互动练习1：

4	6

小鸭的数量多。

互动练习2：

(1)

4	5

梨更多。

(2)

6	6

玩具熊和玩具恐龙一样多。

互动练习3：

3件衣服、3个布娃娃。

互动练习4：

	2
	4
	1
	0

亨利手中的物品最多。

互动练习5：

(1)

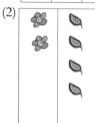

(2)

(3)

互动练习6：

(1)

	3
	4

(2)

	4
	6

互动练习7：

3	5

亨利获胜。

（习题设计：何　晨）

Henry Keeps Score

"Harriet! Henry! " called Mrs. Hedges. "Rise and shine! It's time to get up! "

Harriet rolled over in bed and yawned. "Five more minutes, Mom," she said. "Okay? "

"Okay, sleepyhead," said Mrs. Hedges.

Henry's eyes flew open. "If she gets five minutes, I get five minutes," he said. Henry wiggled down under the covers.

"No more than five, or you won't have time for breakfast," said Mrs. Hedges.

Harriet 5   Henry5

Five minutes later Harriet smelled something good. So did Henry. They hurried downstairs. "Yum," said Harriet. "Pancakes." She took four.

"Mom! " said Henry. "Harriet got four pancakes! I only got three! Harriet got more than I did! "

"Isn't three enough for you? " asked Mrs. Hedges.

"If she gets four, I get four! " said Henry.

Mrs. Hedges gave him one more.

"Mmph," said Henry, because his mouth was full.

Harriet4 Henry4

After school Harriet fed the dog and Henry fed the cat.

Harriet cleaned the birdcage. Henry took out the garbage.

Harriet picked up all her toys. Henry put all his dirty socks in the hamper.

"She does three jobs and I do three jobs," thought Henry. "Good."

Harriet 3   Henry 3

When they were finished, Mrs. Hedges asked them what they'd like for a snack.

"A glass of milk and three cookies, please," said Harriet.

"A glass of milk and ten cookies, please," said Henry.

"Ten cookies! " said Harriet. "That's too much."

"You can have three," said Mrs. Hedges, "the same as Harriet."

"Well, okay," said Henry.

Harriet 3   Henry 3

That night Harriet had a pajama party. Judy, Stephanie, Megan, and Wendy all slept over.

They had a great time.

"I want a pajama party, too," said Henry.

"Okay," said Mrs. Hedges. "Who would you like to invite? "

"Owen, Luke, and Ted," said Henry, counting on his fingers. "And ... and ...Uncle Ray."

"Uncle Ray? " asked Mrs. Hedges. "Isn't he a little old for a sleepover? "

"Harriet had four people," said Henry. "If she gets four, I get four! "

"All right, Henry," said Mrs. Hedges.

Harriet 4   Henry4

Owen, Luke, Ted, and Uncle Ray came to Henry's pajama party.

They had a great time.

The next day the Hedges family went shopping. They started off at the bookstore.

Harriet got a book.

And Henry got a book.

Harriet 1   Henry 1

They went to a clothing store next. Harriet got a sweater, a dress, and a hat.

Henry got a sweater and a shirt. "I want a hat, too," he said.

"You already have a hat," said Mr. Hedges.

"And you don't need another one," said Mrs. Hedges.

"Harriet got three things," said Henry. "If she gets three, I get three! "

"Not today," said his parents.

"Humph! " said Henry. "No fair! "

Harriet 3   Henry 2

That night Harriet called a friend.

"I want to make a phone call, too," said Henry.

"Who would you like to call? " asked Mrs. Hedges.

Henry thought. "Umm, Santa! " he said.

"Santa's on vacation, Henry," said Mrs. Hedges. "We'll write to him in December."

"Then I'll call Grandma," said Henry.

"That's a good idea," said Mrs. Hedges. She dialed the number.

"Harriet made a phone call, so I did, too," Henry told his grandmother. "I get to make as many calls as she does."

"Well, I'm very glad you called me," his grandmother said.

Harriet 1   Henry 1

The next day Harriet and Henry went to see their dentist, Dr. Cary. Harriet spent a long time with him.

When she came out, she said, "I had a cavity."

Henry gulped. "A cavity? " he said. "You had a cavity? "

"Yes," said Harriet. "Your turn."

Dr. Cary looked at every single one of Henry's teeth. It took a long time, and Henry was nervous.

Finally Dr. Cary patted Henry's shoulder. "Good for you," he said. "No cavities."

"No cavities! " Henry told Harriet and Mrs. Hedges.

"You're lucky," said Harriet.

"I know," said Henry.

Harriet 1   Henry 0

That night Henry's mother said, "You were brave at the dentist today."

"Harriet had a cavity! " said Henry.

"Do you wish you had a cavity, too? " asked Mrs. Hedges. "Just like Harriet? "

"No! " said Henry. "No, no, no! "

"Just checking," said his mother, kissing him goodnight.

Then Mrs. Hedges tucked Harriet in. "You were brave at the dentist today," she said.

"Thanks, Mom," said Harriet.

Mrs. Hedges kissed her goodnight.

"Can I have one more kiss? " asked Harriet.

"What do you think, Henry? " asked Mrs. Hedges.

Henry thought about Harriet and her cavity. "Yes," he said. "She can." And Mrs. Hedges gave Harriet one more kiss.

Harriet 2   Henry 1